Σειρά: ΜΠΑΜ, ΜΠΟΥΜ, ΤΑΡΑΤΑΤΖΟΥΜ!

ΕΥΓΕΝΙΟΣ ΤΡΙΒΙΖΑΣ
«Η φάλαινα που τρώει τον πόλεμο»

Εκδοτική επιμέλεια:
Αλέξανδρος Φιλίππου

Παραγωγή:
ΜΙΝΩΑΣ Α.Ε.Ε.

1η έκδοση: Φεβρουάριος 2000
Ακολούθησαν οι ανατυπώσεις: 2000, 2003, 2004, 2005, 2007^2, 2008, 2009.
Η παρούσα είναι η 10η έκδοση: Σεπτέμβριος 2010

Τ.Θ. 504 88, 141 21 Ν. Ηράκλειο, ΑΘΗΝΑ
τηλ.: 210 27 11 222 — fax: 210 27 76 818
www.minoas.gr • e-mail: info@minoas.gr

ISBN 978-960-699-648-1

ΜΠΑΜ, ΜΠΟΥΜ, ΤΑΡΑΤΑΤΖΟΥΜ!

ΕΥΓΕΝΙΟΣ ΤΡΙΒΙΖΑΣ

Εικόνες: Ναταλία Καπατσούλια

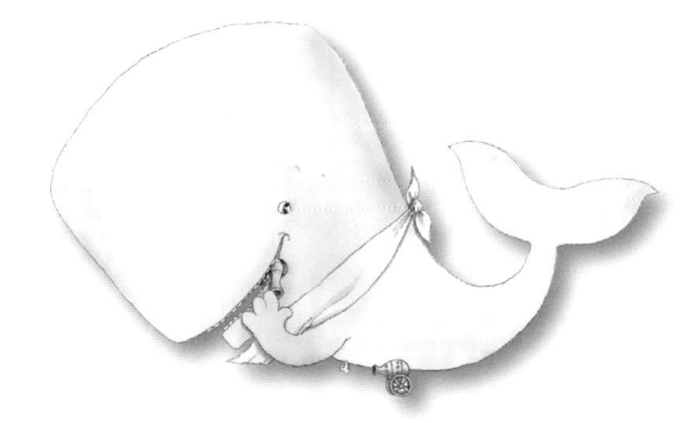

Κάθε άνοιξη το Μάη
μια γαλάζια φάλαινα
που πολύ πεινάει
βγαίνει στη Βαραδουάη
τον πόλεμο να φάει.

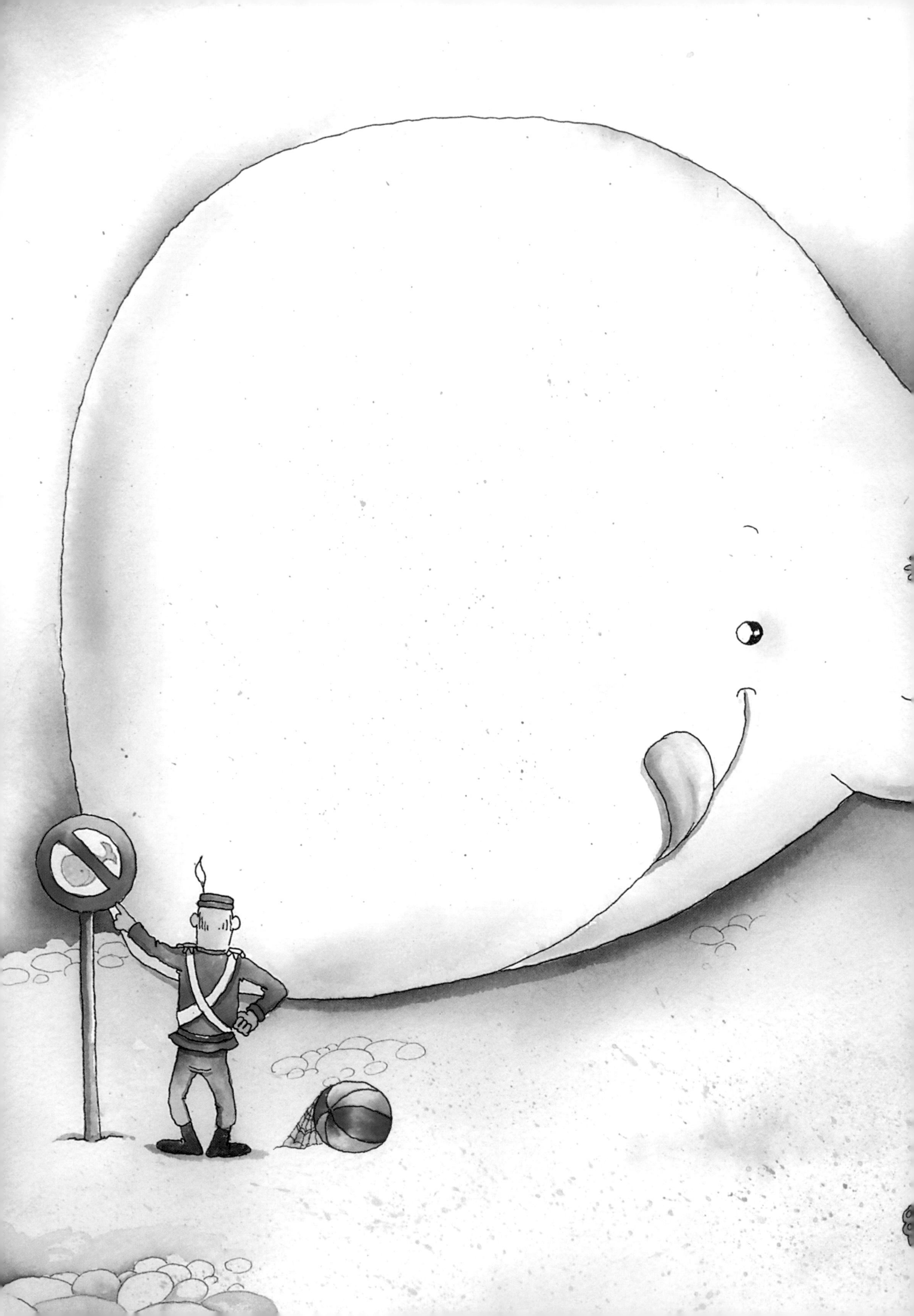

Όταν πάνε να τη διώξουν
ή με τρόπο να τη σπρώξουν
στη θάλασσα από την παραλία...

...τρώει μία μεραρχία
χωρίς καμία δυσκολία!

Πολυβόλα καταπίνει,
τανκ και βλήματα
χωρίς πολλά προβλήματα!

Άσε που τρελαίνεται
να μασάει παράσημα,
της αρέσει δηλαδή το μάσημα!

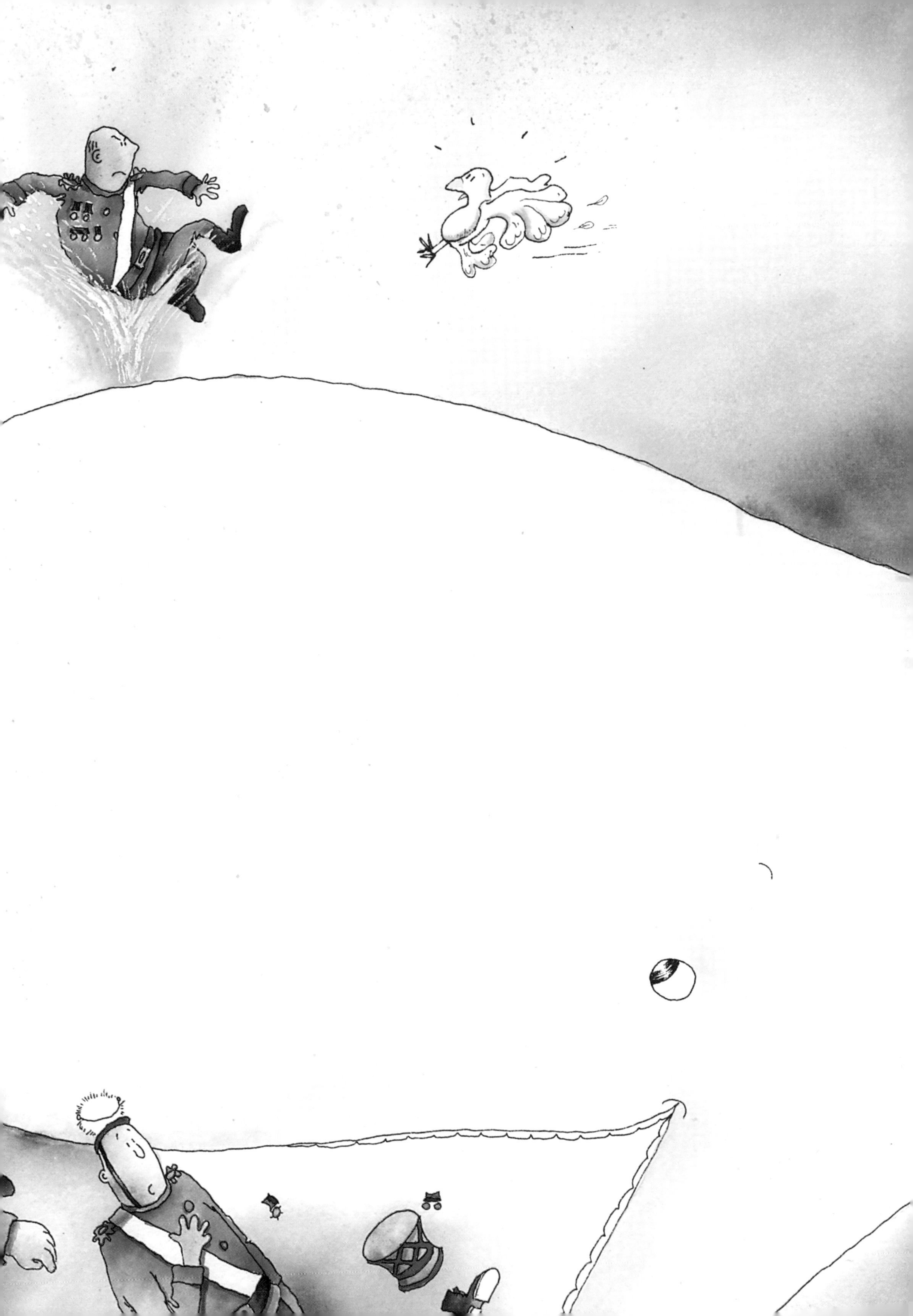

Τρώει σαν μαρίδες
νάρκες, βόμβες και οβίδες,
ρουφάει επιλοχίες, στρατηγούς,
υπασπιστές, οπλαρχηγούς,
τους τυμπανιστές,
τα τύμπανά τους,
τους σαλπιγκτές
και τα χρυσά κουμπιά τους!

Και τα μεγάλα τα κανόνια
της γαργαλάνε τα σαγόνια!

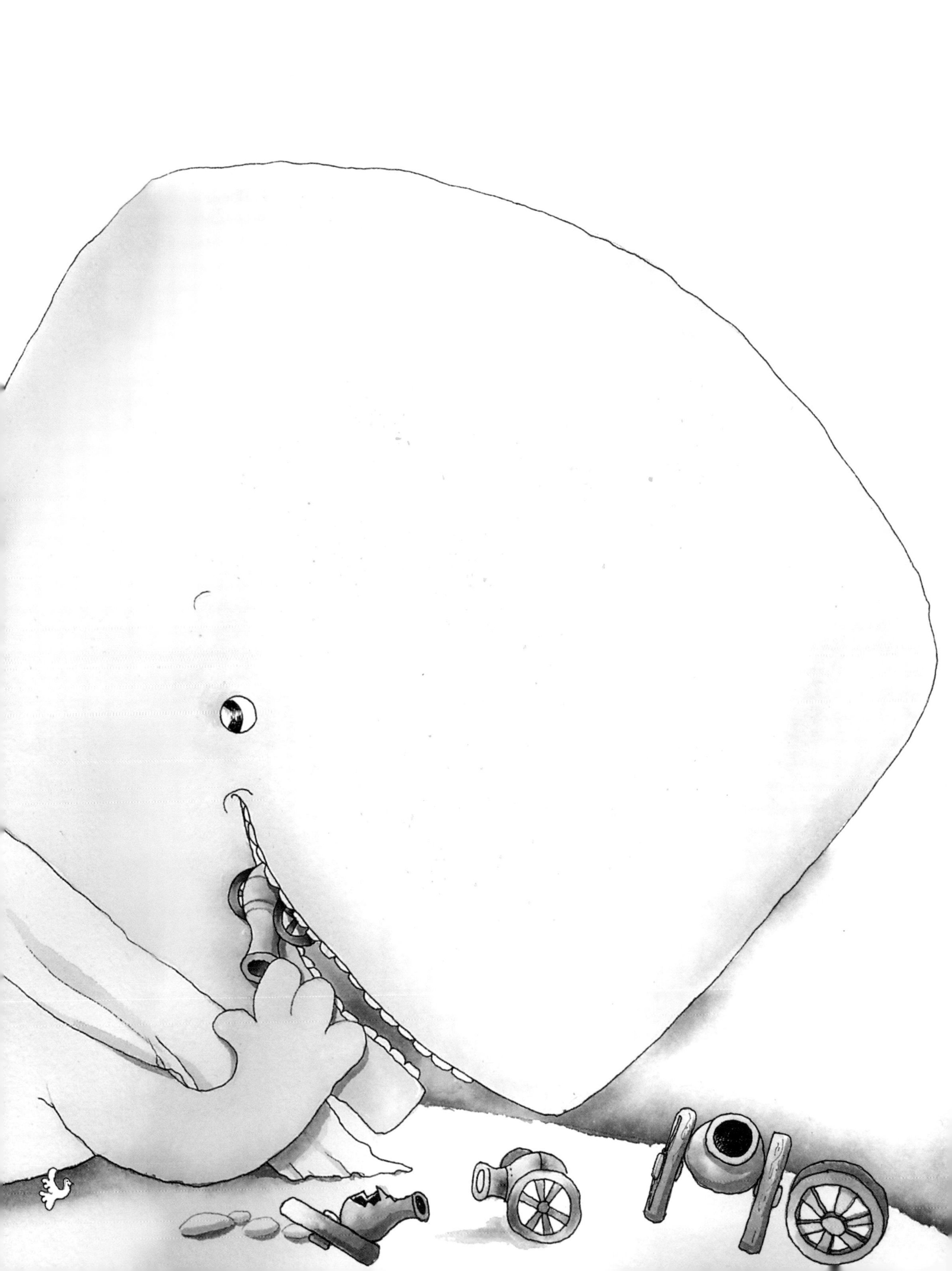

Τρώει με φόρα
αεροπλανοφόρα,
πηλήκια, αρβύλες, κράνη,
καταπίνει μάνι μάνι
το μισό λιμάνι,

κι όταν βλέπει αλεξιπτωτιστές
λέει «Μμμ!... τι νόστιμος μεζές!».

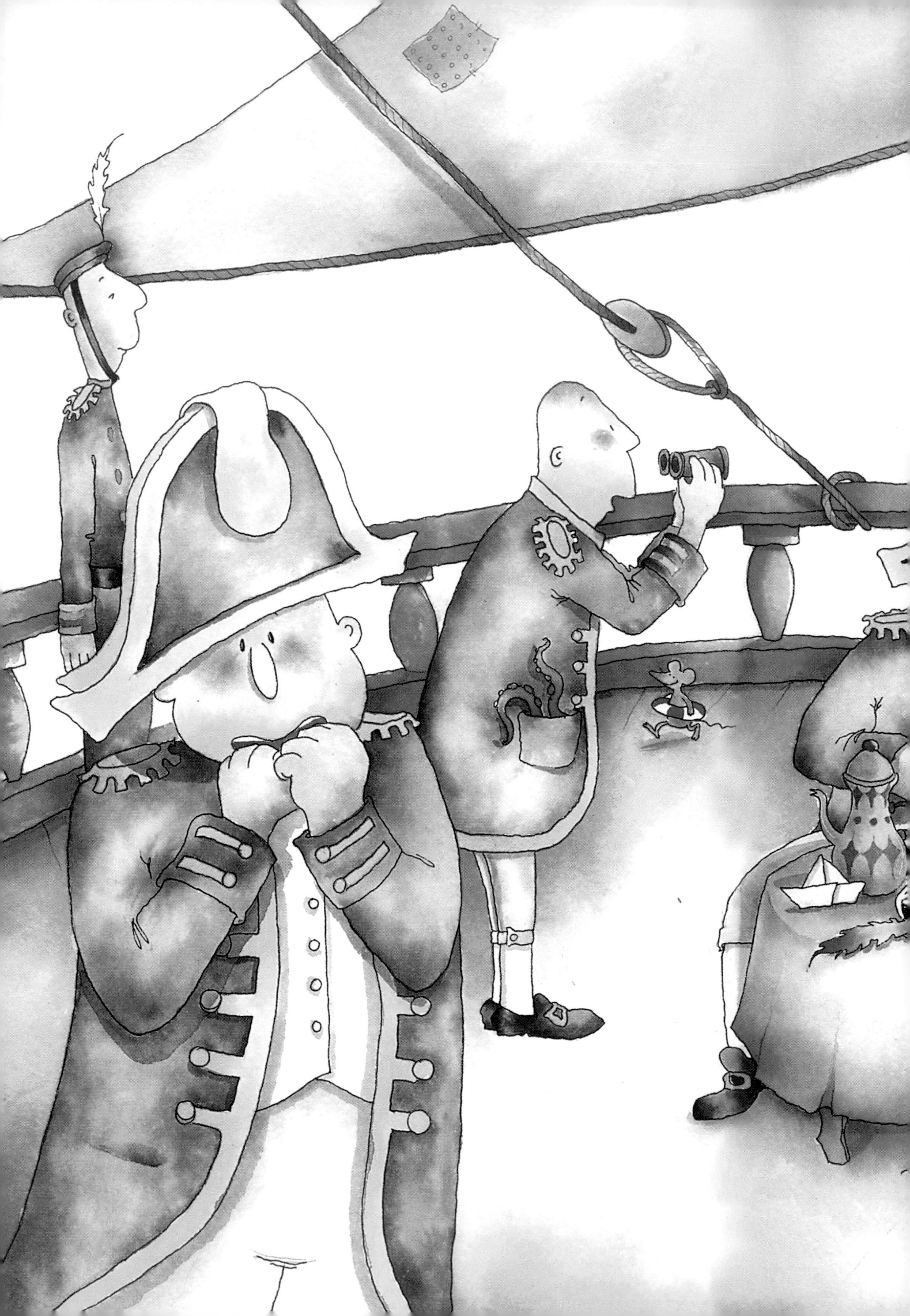

Γι' αυτό στη Βαραδουάη
οι ναύαρχοι αλλάζουν χρώμα
όταν βλέπουν φάλαινα
με ανοιχτό το στόμα!

Γι’ αυτό στη Βαραδουάη
οι υπασπιστές
έχουν τις πόρτες τους κλειστές
και βυθισμένοι
σε μαύρες σκέψεις
δε δέχονται επισκέψεις.

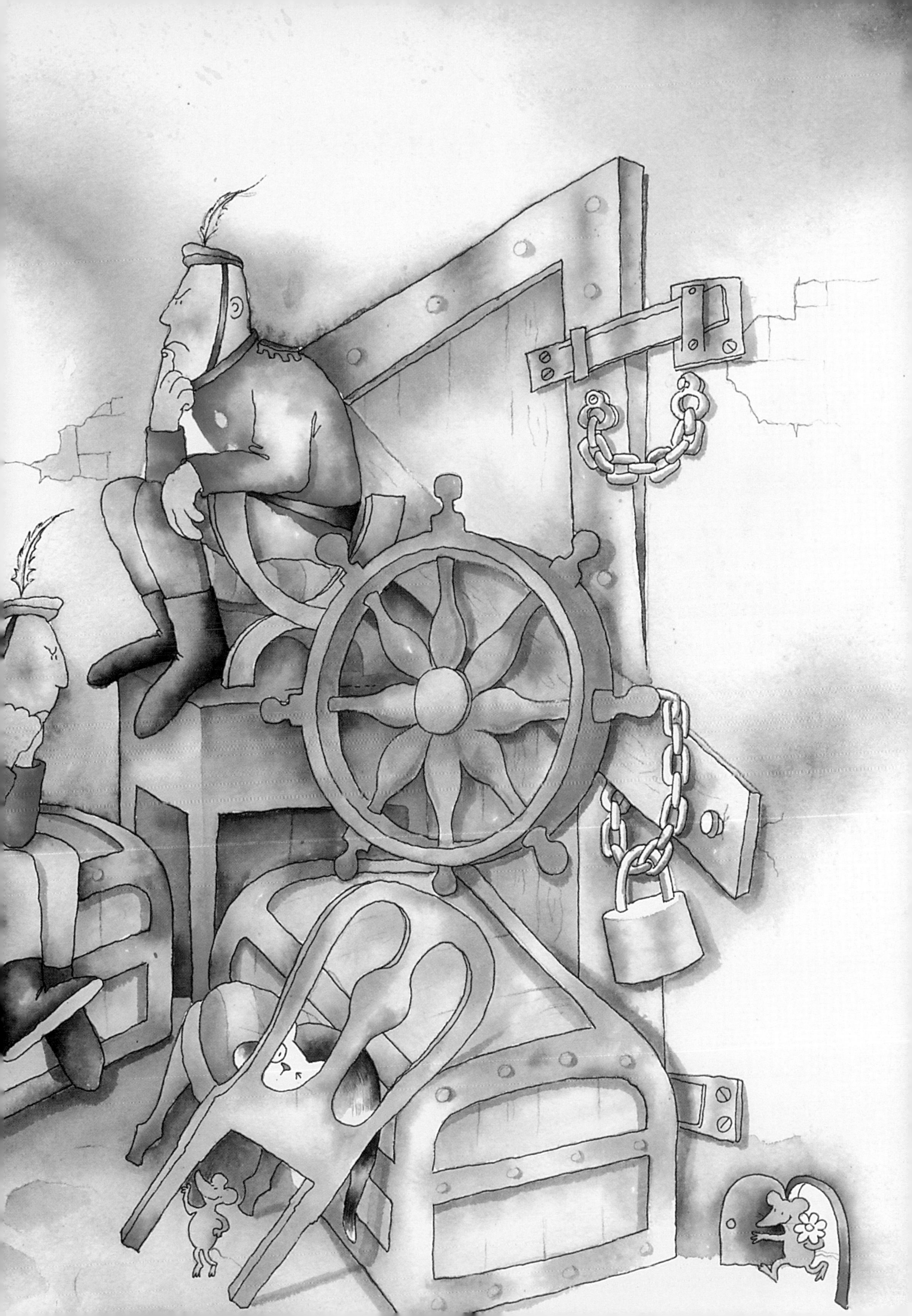

Γι’ αυτό στη Βαραδουάη
οι σαλπιγκτές
κρύβονται μέσα σε
θαλασσινές σπηλιές.

Οι αλεξιπτωτιστές
σε κήπους με κυκλάμινα
και νεραντζιές.

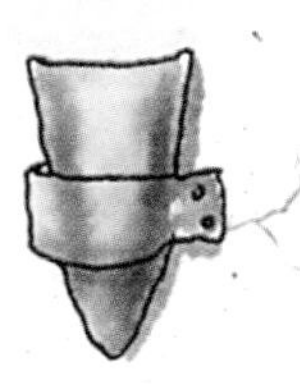

Και πού τους χάνεις,
πού τους βρίσκεις
τους τυμπανιστές,
τελίτσες να παίζουν
στις καταπακτές.

Γι’ αυτό στη Βαραδουάη
οι βλοσυροί οι στρατηγοί
μασκαρεύονται σε μπαλαρίνες
και τσαχπίνες **κολομπίνες**.

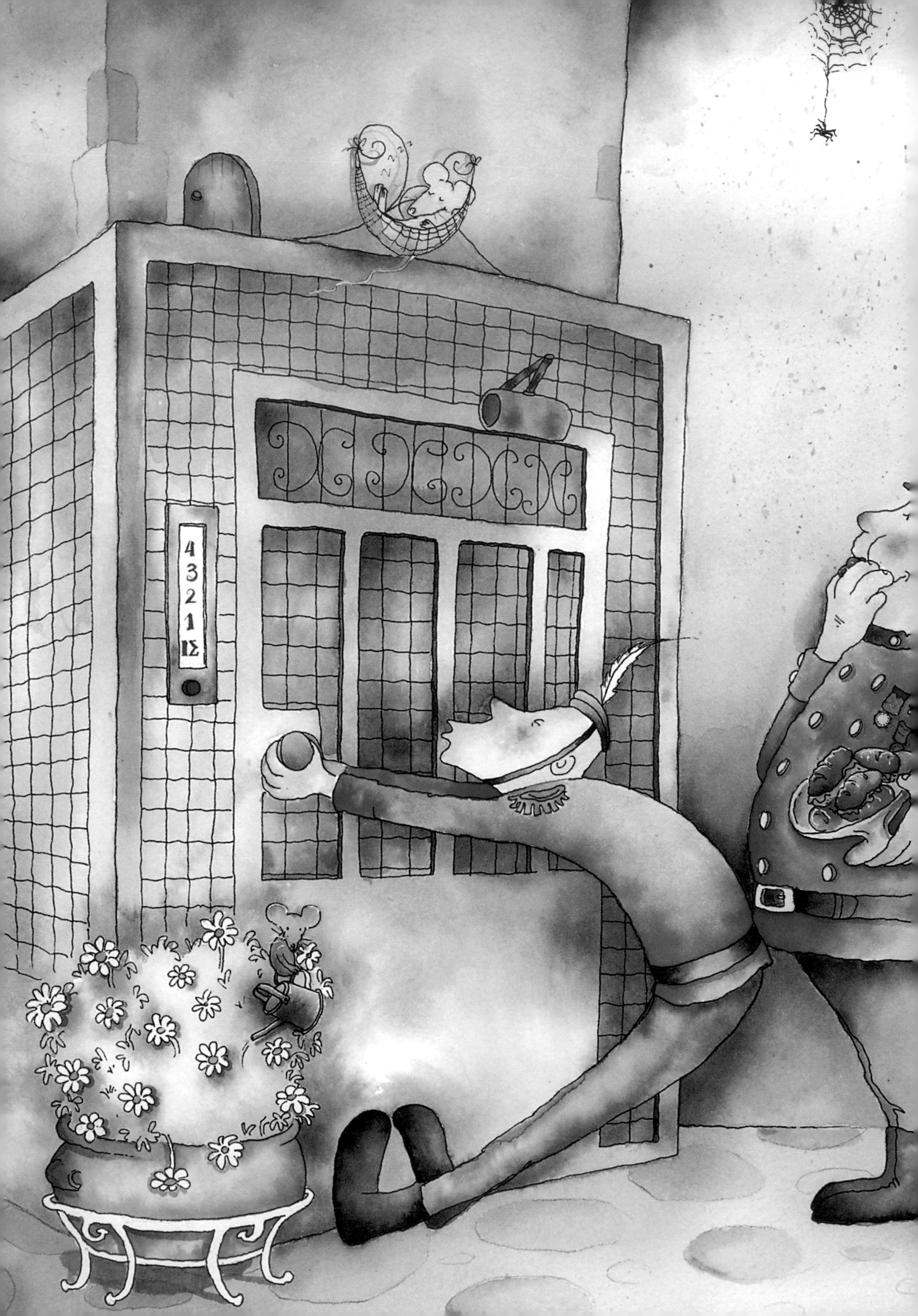
4
3
2
1
ΙΣ

Κι αν κανένας στρατηγός,
εκεί που τρώει εφτά εκλέρ
ή έχει κλειστεί
έξω από το ασανσέρ,
δει μια φάλαινα...

...αρχίζει να παραπατάει,
τρέμει σαν λαγός,
κόβει μαργαρίτα, τη μαδάει
και ρωτάει:
«Θα με φάει η φάλαινα
ή δε θα με φάει;».

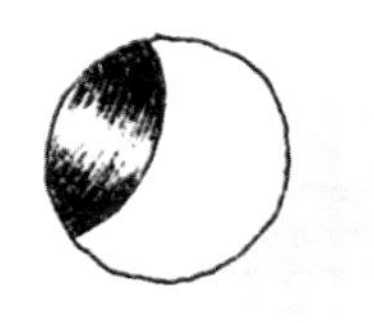

Κι όταν η φάλαινα χορτάσει
τανκ, οβίδες, φλογοβόλα
και μυριάδες μυδραλιοβόλα,
τον κόσμο που χαίρεται αποχαιρετά
και φεύγει πάλι για τα ανοιχτά.

– Γεια χαρά σου, φαλαινίτσα!
Γεια χαρά!
Να σε βλέπουμε συχνά!
Να προχωράς πάντα εμπρός
και τον πόλεμο να τρως!

Και τώρα
η δική σου η σειρά!

Θυμήσου!

Μπορείς να απαντήσεις σωστά
στις παρακάτω ερωτήσεις;

Κάθε πότε βγαίνει η φάλαινα στη Βαραδουάη;

☐ Κάθε φθινόπωρο τον Σεπτέμβρη

☐ Κάθε καλοκαίρι τον Αύγουστο

☐ Κάθε άνοιξη τον Μάη

☐ Κάθε χειμώνα τον Γενάρη

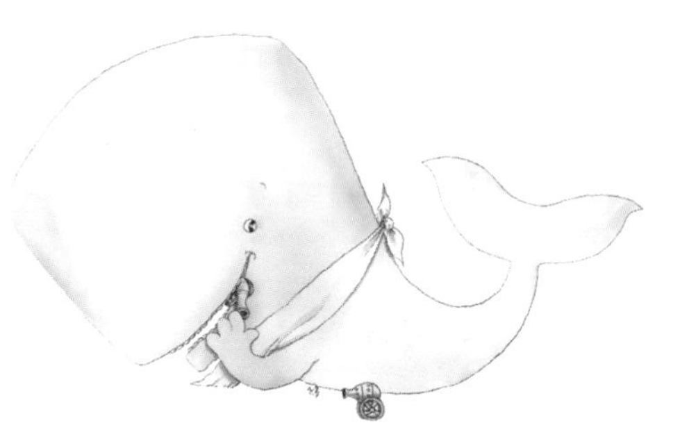

Τι αλλάζουνε οι ναύαρχοι, όταν βλέπουν φάλαινα με ανοιχτό στόμα;

☐ Αλλάζουνε πουκάμισο

☐ Αλλάζουνε χτένισμα

☐ Αλλάζουνε βάρδια

☐ Αλλάζουνε χρώμα

Σε τι μασκαρεύονται οι βλοσυροί στρατηγοί;

☐ Σε μπαλαρίνες και ωραίες καρδερίνες

☐ Σε κολομπίνες και τσαχπίνες μπαλαρίνες

☐ Σε ψιψίνες και χαδιάρες λαγουδίνες

☐ Σε μπαλαρίνες και τσαχπίνες κολομπίνες

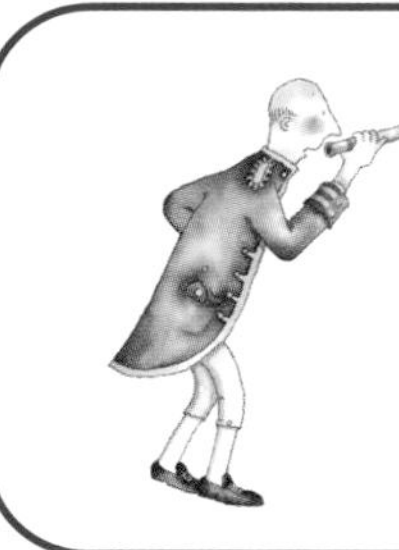

Παρατήρησε!

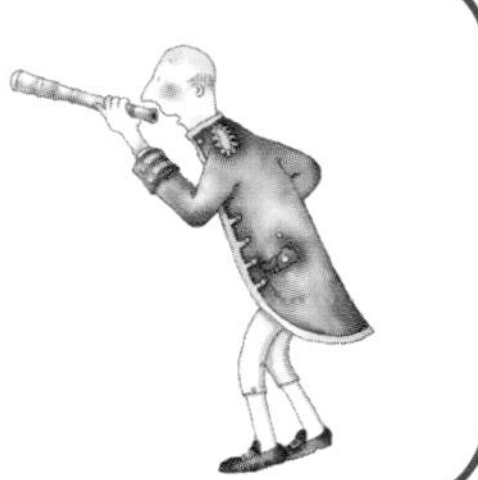

Μπορείς να βρεις δύο
ολόιδια τύμπανα;

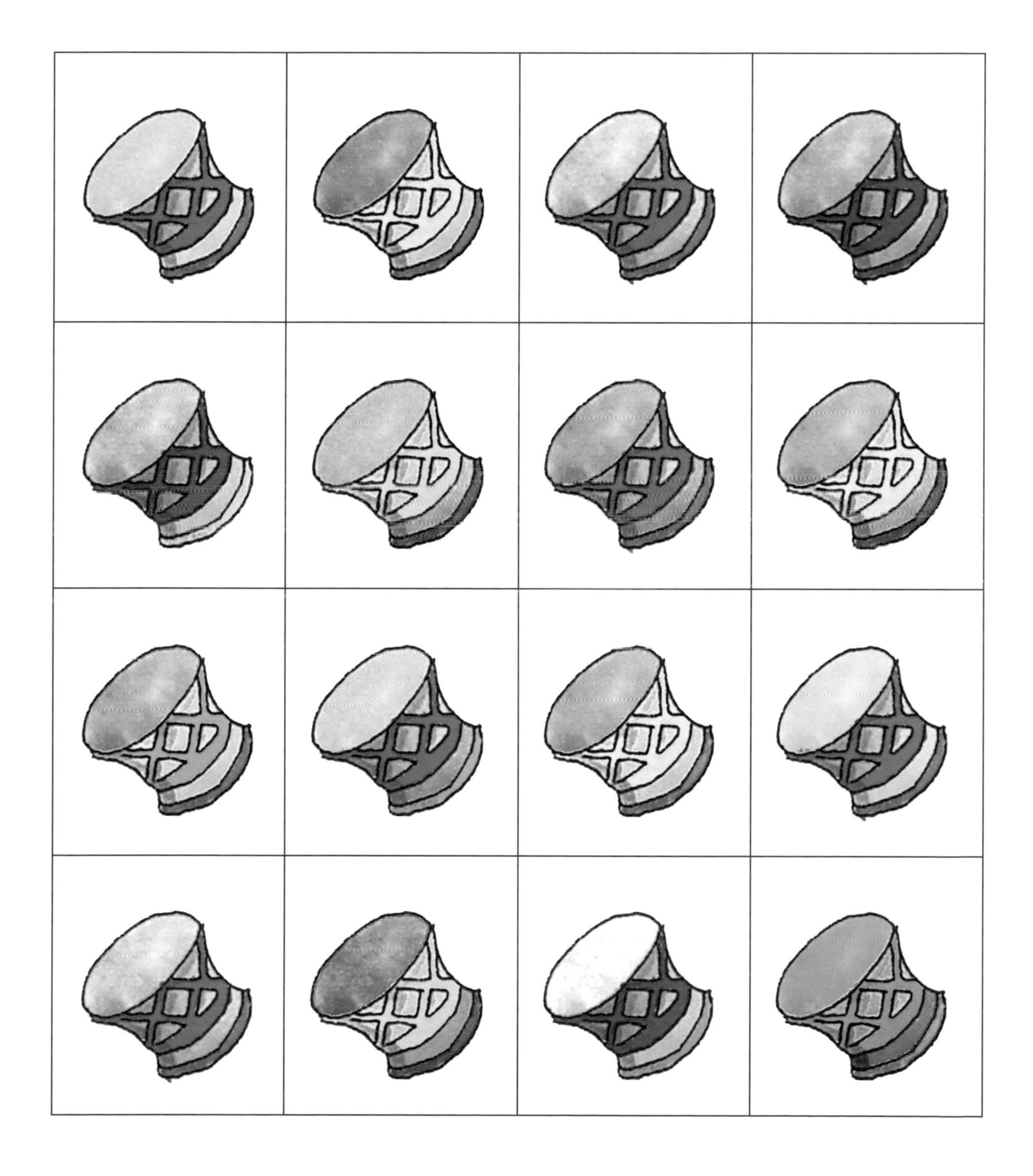

Μέτρησε!

Ποια είναι τα πιο πολλά; Οι γλαστρούλες ή τα δαγκωμένα μήλα;

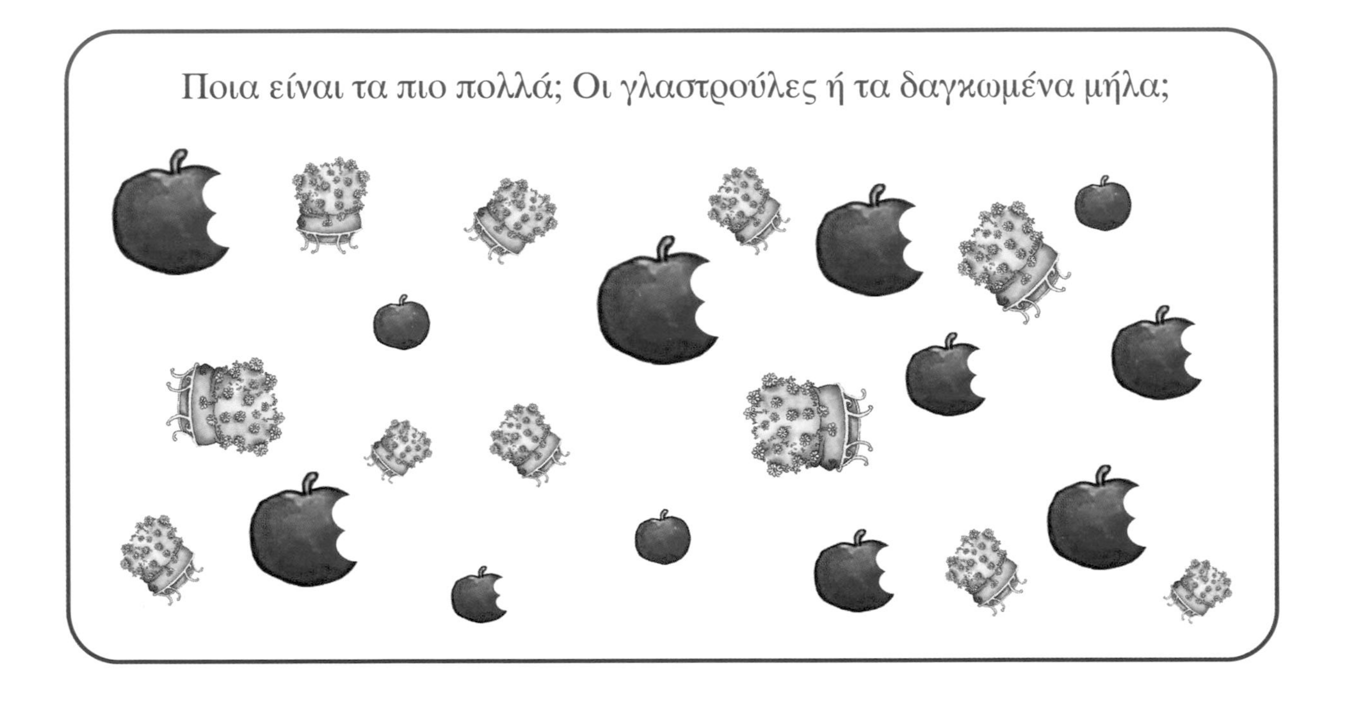

Ποια είναι τα πιο πολλά; Τα φλιτζάνια ή τα τριαντάφυλλα;

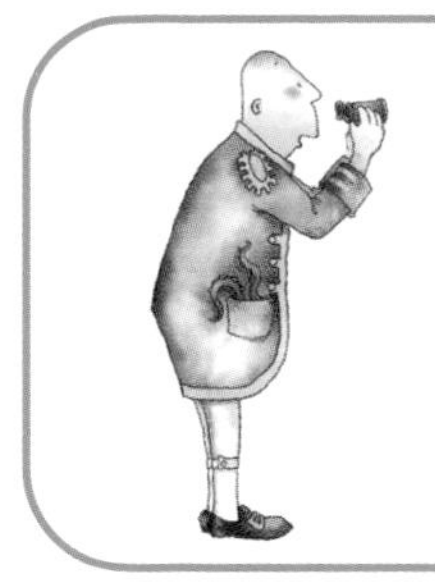

Ψάξε και βρες!

Ψάξε όλο το βιβλίο, βρες την εικόνα
του κάθε κύκλου και σε καθεμία που βρίσκεις
χρωμάτιζε το τετραγωνάκι της.

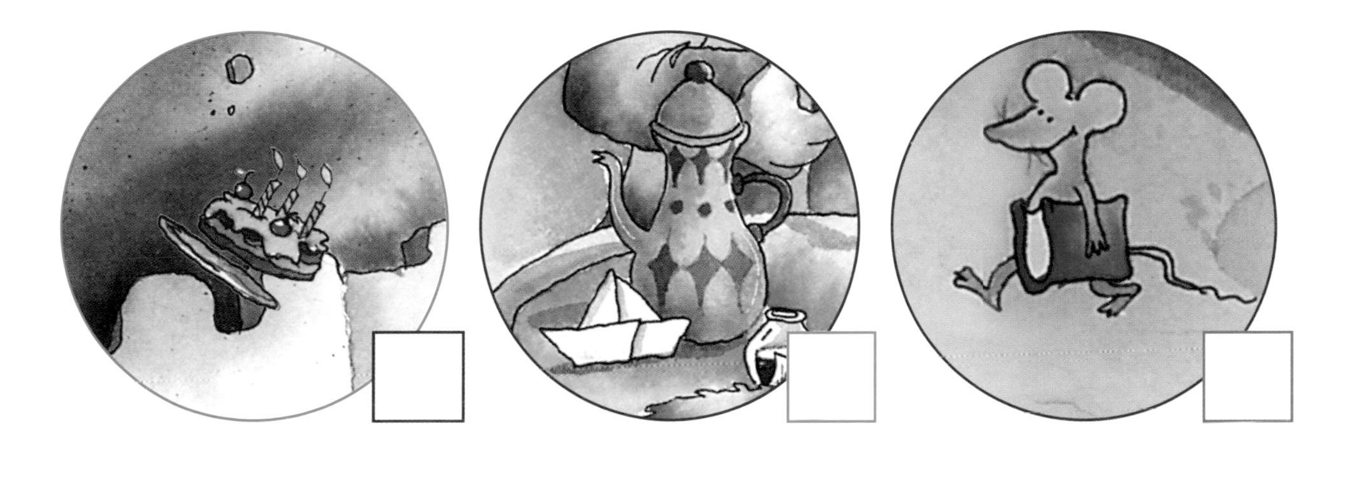

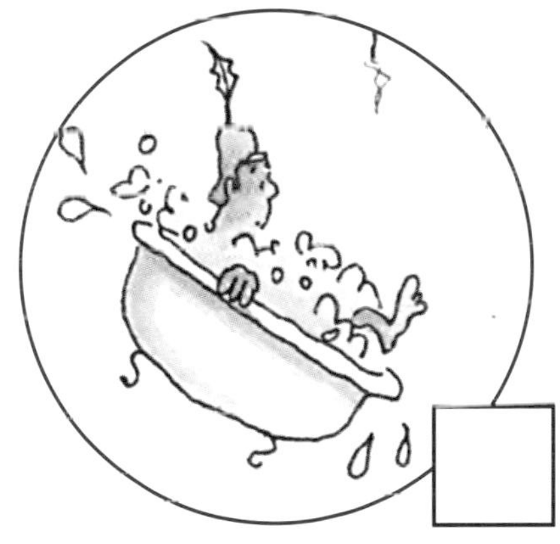

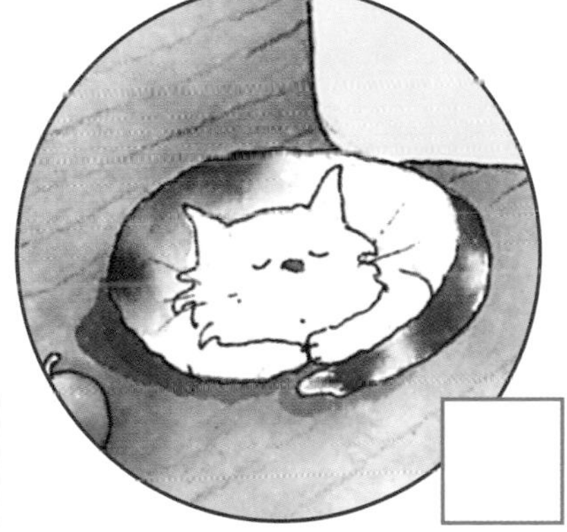

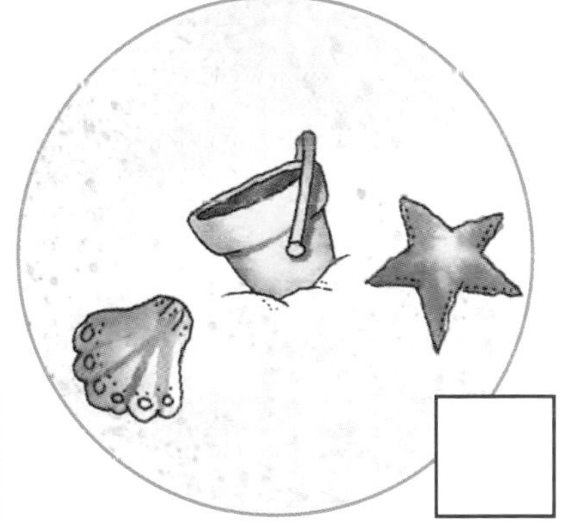

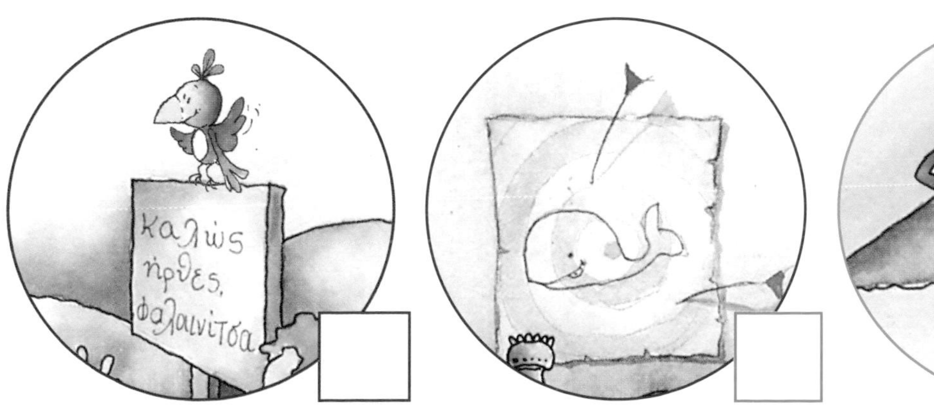

Παρατήρησε!

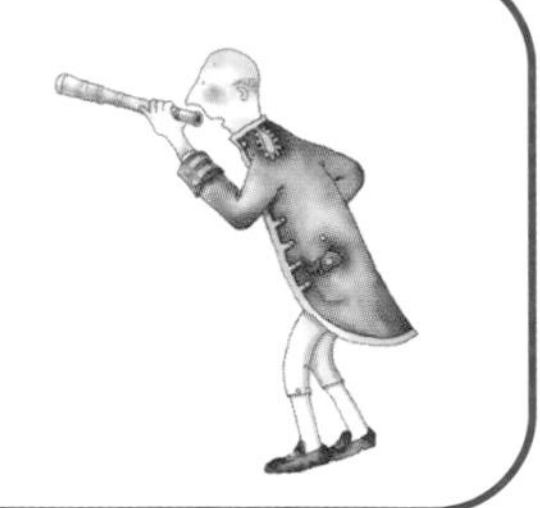

Μπορείς να βρεις δύο
ολόιδιες μπάλες;

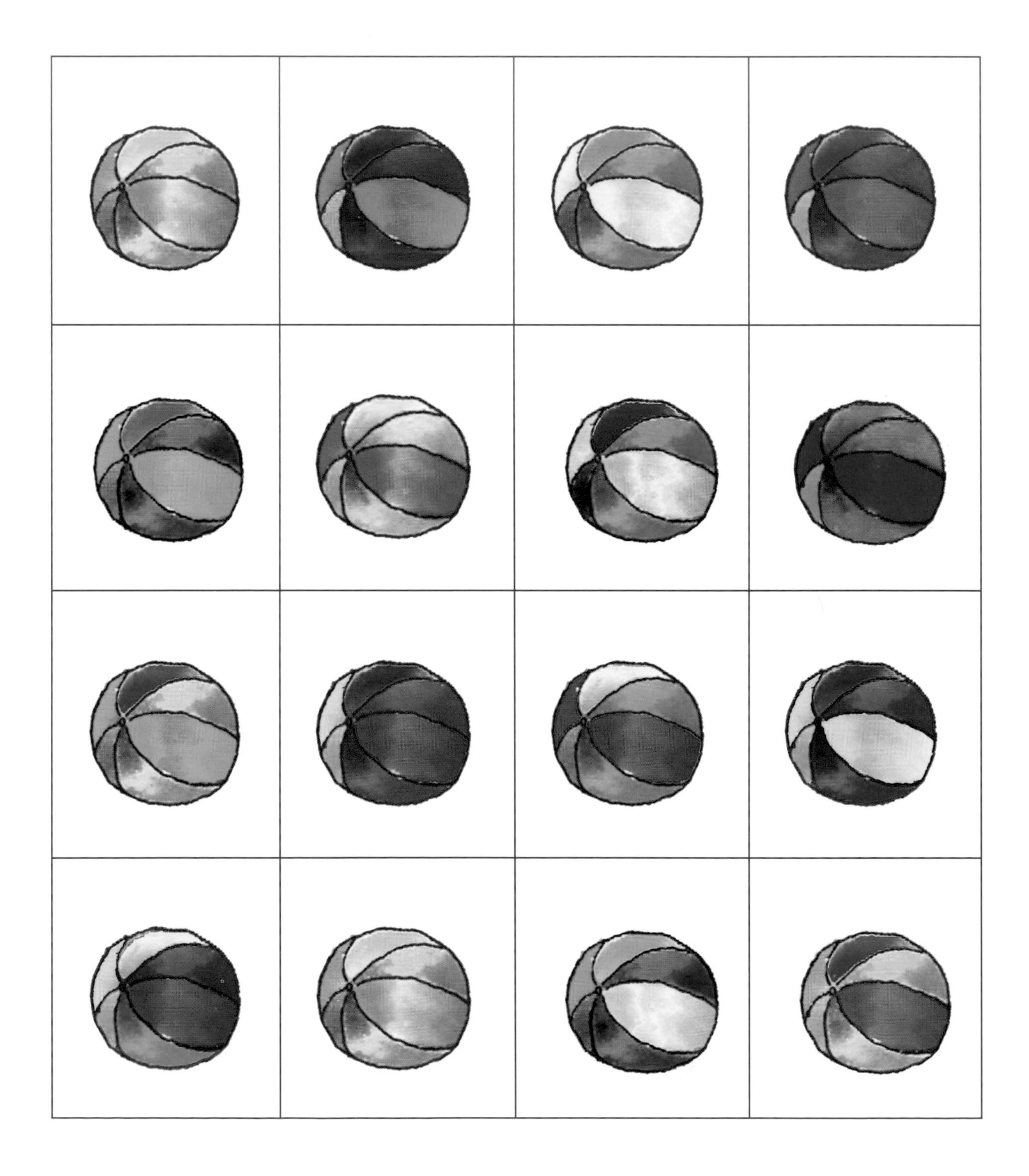

Χρωμάτισε!

Μερικά ποντικάκια για
να τα χρωματίσεις!

© Β. ΒΡΕΤΤΟΣ

Βουτιά στη φαντασία από

Τα Παραμύθια με τους Αριθμούς

Φουφήχτρα, η Μάγισσα
με την Ηλεκτρική Σκούπα
(Αρίθμηση από το 1 έως το 10)
Εικόνες: Κατερίνα Βερούτσου

Μια μάγισσα με σκούπα ηλεκτρική
ρουφάει από το βράδυ έως το πρωί
πεταλούδες και παιδάκια,
γάτες, ψάρια και παπάκια!

Ο Άρης ο Τσαγκάρης
(Πρόσθεση – Αφαίρεση)
Εικόνες: Ελίζα Βαβούρη

Στο δάσος με τις πασχαλιές
και τις μυστικές σπηλιές
ένας καλόκαρδος τσαγκάρης
φτιάχνει μπότες και γοβάκια
για σκαντζόχοιρους και ροζ κοράκια!

Η Φιφή και η Φωφώ,
οι Φαντασμένες Φάλαινες
(Πολλαπλασιασμός – Διαίρεση)
Εικόνες: Βάλλυ Λιάπη

Δύο λαίμαργες φάλαινες,
η Φιφή και η Φωφώ,
τρώνε, τρώνε χωρίς σταματημό,
για να μάθουμε διαίρεση
και πολλαπλασιασμό!

Η Πριγκίπισσα Δυσκολούλα
(Σύνολα – Υποσύνολα)
Εικόνες:
Κατερίνα Βερούτσου

Σύνολα και υποσύνολα μαθαίνεις στη στιγμή,
σε μαρμάρινο παλάτι, σε βασιλική γιορτή,
με μια πριγκίπισσα ελκυστική
που δυσκολεύεται να αποφασίσει
ποιον πρίγκιπα να προτιμήσει!

Σύγχρονα Παραμύθια

Τα Τρία Μικρά Λυκάκια
Εικόνες: Έλεν Οξένμπερυ

Ένα πολυβραβευμένο παραμύθι που
μεταφράστηκε σε 17 γλώσσες, έγινε παγκόσμιο
μπεστ-σέλερ και περιλαμβάνεται στη συλλογή
Heinemann με τα 10 καλύτερα κλασικά
εικονογραφημένα παιδικά βιβλία όλων των εποχών
(Heinemann Collection of ten of the best picture books ever published).

Μόνο οι πλέον ταλαντούχοι από τους συγγραφείς έχουν την ικανότητα, επεμβαίνοντας σε ένα κλασικό παραμύθι, να δημιουργούν κάτι σχεδόν εξίσου διασκεδαστικό και βαθυστόχαστο με το πρωτότυπο. Η Έλεν Οξένμπερυ και ο Ευγένιος Τριβιζάς επιτυγχάνουν το σχεδόν ακατόρθωτο…
The Economist

Ο Ευγένιος Τριβιζάς ξεκινά αποφασισμένος να μας διηγηθεί μια κλασική ιστορία μ' ένα νέο τρόπο.
The New York Times

Η κάθε σελίδα ξεχειλίζει από κέφι και μπρίο!
The Times

Το διασκεδαστικότερο βιβλίο της χρονιάς!
Highly Commended for the Kate Greenaway Medal

Τα παιδιά θα ξεκαρδιστούν στα γέλια από τις πρώτες γραμμές.
Kirkus Reviews

Ιδιοφυής αντιστροφή ενός κλασικού παραμυθιού με ξεκαρδιστικά αποτελέσματα.
Publishers Weekly

Εγγυημένο να κάνει ακόμα και τους ενηλίκους να γελάσουν.
Evening Telegraph

Γεμάτο με πνευματώδες χιούμορ.
Booklist

Σαγηνευτικό!
Book Seller

Απολαυστικό!
Daily Mail

τον διάσημο Έλληνα συγγραφέα!

Μπαμ, Μπουμ, Ταρατατζούμ!

Η Φάλαινα που Τρώει
τον Πόλεμο
Εικόνες: Ναταλία Καπατσούλια
Γιατί οι σαλπιγκτές κρύβονται στις
θαλασσινές σπηλιές;
Γιατί οι τυμπανιστές παίζουν τελίτσες
στις καταπακτές;
Γιατί οι στρατηγοί μεταμορφώνονται
σε μπαλαρίνες και τουχπίνες κολομπίνες;

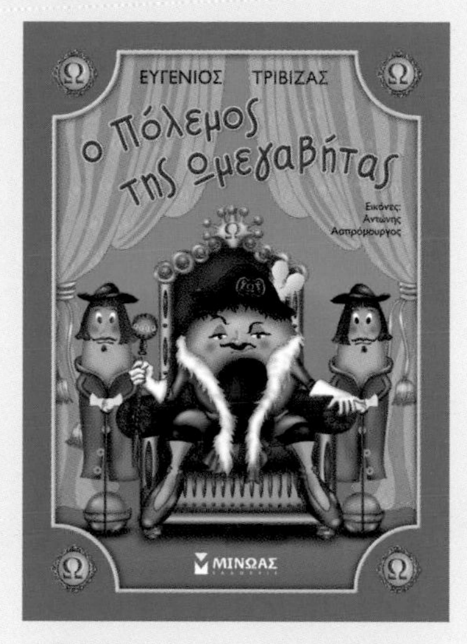

Ο Πόλεμος της Ωμεγαβήτας
Εικόνες: Αντώνης Ασπρόμουργος
Τα παλιά τα χρόνια το Ωμέγα ήταν το
πρώτο γράμμα της Ωμεγαβήτας και το Άλφα
το τελευταίο. Το Ωμέγα όμως έπασχε από
ωμεγαλομανία και ήθελε να επιτεθεί στην
κινέζικη Αλφαβήτα. Τι συνέβη στην ιστορική
εκείνη μάχη και το Ωμέγα βρέθηκε
στο τέλος της Αλφαβήτας;

Ο Πόλεμος
της Χαμένης Παντόφλας
Εικόνες: Στίβεν Γουέστ
Ο βασιλιάς Σβουριμάρ χάνει την παντόφλα
του και κάνει τον κόσμο άνω κάτω για να τη
βρει. Θα τα καταφέρει; Ποιο ύπουλο
παιχνίδι παίζει ο Τζουμ Ατζούμ
Ταρατατζούμ και του προτείνει να
κηρύξει πόλεμο; Τι ρόλο θα
παίξει στον πόλεμο ο σαλπιγκτής με τη
σουβλερή μύτη και τα μεγάλα αυτιά;

Ο Πόλεμος των Ούφρων
και των Τζούφρων
Εικόνες: Χριστίνα Νεοφώτιστου
Οι δύο εχθρικοί στρατοί των Ούφρων
και των Τζούφρων παρατάχτηκαν
ένα πρωί για να δώσουν μια τρανή
μάχη στην Κοιλάδα με τις Μοβ Τσουκνίδες.
Τι θα γίνει όμως
όταν τα όπλα τους αντί για
μπαζούκας είναι μπουζούκια και
αντί για κανόνια είναι κανό;

Άμεση Δράση
Οι Μυστικές Περιπέτειες της Δανάης

Η Κινέζα κούκλα
Εικόνες: Ράνια Βαρβάκη
Το παιδί παίζει με τους αριθμούς,
τις αριθμητικές πράξεις, τα αινίγματα,
τους αναγραμματισμούς, εμπεδώνει
τις σχολικές του γνώσεις και αναζητεί λύσεις.
Ένα βιβλίο δραστηριοτήτων που συνδυάζει
τη χαρά με τη μάθηση, το γέλιο με την
αναζήτηση, την περιπέτεια με τη δημιουργία.

Η Χαμογελαστή Σειρά

Ο Μικρός Ερμής
Εικόνες: Μυρτώ Δελβοριά
Ένα βιβλίο που παίζει με τα απαγορευμένα
«μη», ένας Ευγένιος Τριβιζάς που κάνει
τα παιδιά να ξεκαρδίζονται στα γέλια. Ένας
Ερμής αρχαίος αλλά και τόσο σύγχρονος!